d97

Émilie, la baignoire à pattes

Conception graphique de la couverture: Martin Dufour

Illustrations couverture et intérieur: France Bédard

Copyright © 1976 by Les Éditions Héritage Inc.
Tous droits réservés

Dépôts légaux: 4 trimestre 1976
Bibliothèque nationale du Québec
Bibliothèque nationale du Canada

ISBN: 0-7773-4400-9 Imprimé au Canada

LES ÉDITIONS HÉRITAGE INC.
300, rue Arran, Saint-Lambert, Qué.
(514) 672-6710

Émilie, la baignoire à pattes

Texte de

BERNADETTE RENAUD

d'après une idée originale de Gertrude Scalabrini

Illustrations: France Bédard

ÉDITIONS HÉRITAGE

MONTRÉAL

Chapitre 1

Dans le hangar poussiéreux, c'est le silence. Un fauteuil à trois pattes essaie de se redresser pour voir, une bicyclette sans roue se penche pour reluquer et de vieux chapeaux se tournent pour dévisager la nouvelle venue. Au milieu du hangar où on vient de la déposer sans précautions, Émilie la baignoire à pattes est bien malheureuse.

– Me faire ça à moi, se dit-elle toute triste. Après tant d'années de services.

Émilie a le coeur gros. Elle a envie de pleurer. Pauvre Émilie. Elle se sent comme une vieille carcasse inutile et finie.

Dans un coin, une vieille malle commence à s'agiter. Elle veut savoir ce qui se passe.

– Hum, hum . . . fait-elle pour attirer l'attention de la nouvelle venue.

Émilie n'entend pas. Elle ne pense qu'à ses malheurs.

– Hum . . . hum . . . toussote la malle. HUM . . . HUM . . . fait-elle encore plus fort.

– Êtes-vous donc si pressée? lui chuchote une lampe un peu défraîchie. Faites comme nous. Attendez. Nous n'avons rien à faire, pourquoi tout savoir tout de suite?

– En effet, maugrée sourdement un

vase ébréché. Gardons-nous quelque surprise pour tout à l'heure.

Émilie commence à regarder autour d'elle. C'est difficile de voir quelque chose: c'est sombre dans le hangar. Après quelques instants, ses yeux s'habituent et elle aperçoit les objets un à un. À la vue de ces vieilleries, de la poussière et de la laideur du hangar, Émilie éclate en sanglots, le coeur brisé.

– Ça y est. Je ne sers plus à rien. Ma vie est finie.

La lampe hoche son abat-jour bosselé.

– Allons, allons . . . Du courage, dit-elle gentiment. Êtes-vous donc si malheureuse?

Émilie renifle et regarde la lampe en pleurant.

– Oui.i.i.i.i.i.i.i.i.i, dit-elle au milieu de ses larmes.

– Mais nous sommes tous ici depuis longtemps et nous ne sommes pas malheureux.

– Mais vous n'avez rien à faire, s'écrie Émilie. Personne n'a besoin de vous. Vous ne servez à rien.

Émilie pleure encore plus fort.

La lampe comprend ce que veut dire Émilie. Elle aussi a eu du chagrin quand on l'a rejetée au hangar. Oui, la lampe comprend la baignoire. Et elle se tait.

Dans son coin, la malle proteste, un peu vexée.

– Vous savez, Madame la baignoire, c'est très bien d'être ici. Avant, nous devions toujours servir les maîtres, être ici et là, être transportés, utilisés, parfois malmenés. Maintenant, nous vivons dans le calme et personne ne vient nous déranger.

– Mais c'était bien plus amusant d'être dérangés, protestent les chapeaux. Les gens nous mettaient sur leur tête et nous allions en promenade, dans les rues, les magasins, les bureaux, partout, (sauf dans les maisons, c'est vrai; on nous laissait au vestiaire, ajoutent les chapeaux à voix basse). Mais le reste du temps, c'était bien amusant.

– Moi, commence la malle, j'ai beaucoup voyagé. J'ai vu toutes sortes de pays et de villes et je pourrais vous en raconter longtemps. Tenez par exemple, un jour . . .

– Bien sûr, bien sûr, dit la bicyclette qui interrompt la malle avant qu'elle ne commence à radoter. Bien sûr, nous le savons tous. Mais en attendant, il faudrait s'occuper de notre nouvelle amie.

– Oui. Oui, dit la lampe, qui voit bien que la baignoire se sent une étrangère au milieu de tous ces objets et que la discussion la rend encore plus malheureuse.

– Il faudrait d'abord lui trouver une place, suggère le vase.

– Non, s'écrie Émilie. NON!

Émilie cesse de pleurer et reprend courage.

– Non et non, reprend-elle. La place d'une baignoire n'est pas dans un hangar, c'est dans une salle de bains. Et je refuse de rester ici. Je refuse!

La lampe essaie de la calmer.

– Nous non plus nous ne sommes pas à notre vraie place dans le hangar. Mais nous sommes vieux et c'est le moment de nous reposer après une vie bien remplie. Est-ce si terrible de se reposer?

Émilie la baignoire ne se calme pas du tout: elle se fâche encore plus fort.

– Me reposer? Qui a décidé que j'étais fatiguée? Je ne veux pas me reposer. Je veux continuer ce que j'ai toujours fait. Je ne veux rien d'autre.

Les vieux meubles se regardent et hochent la tête. Eux aussi auraient bien voulu demeurer dans la maison mais ils sont là, dans le hangar. La baignoire sera bien obligée de se résigner. Pauvre baignoire . . .

France

Chapitre 2

Pauvre baignoire, en effet. C'est ce que pense la fée Porcelaine, là-bas, très loin, au pays des baignoires à pattes.

D'habitude, les vieilles baignoires acceptent leur sort et ne protestent pas: on les utilise, c'est bien; on les met au rebut, c'est encore bien. Mais Émilie, elle, refuse. Et la fée Porcelaine est fière du courage d'Émilie.

– Enfin, une baignoire qui a du caractère, dit-elle.

La fée Porcelaine convoque une assemblée d'urgence pour discuter d'Émilie.

Les baignoires sont toutes là, un peu surprises de cette réunion d'urgence et impatientes de savoir ce qui se passe. Sans perdre de temps, la fée Porcelaine informe l'assemblée de ce qui vient d'arriver à leur soeur Émilie.

– Quelle honte de la traiter ainsi, se chuchotent-elles, en fronçant les sourcils. Il faut faire quelque chose. Il faut l'aider.

Une baignoire décidée s'avance, tousse un peu pour se dérouiller et commence, d'une voix métallique:

– Nous sommes toutes ici aujourd'hui pour discuter d'une injustice sociale. Émilie, notre soeur Émilie, la baignoire à pattes, a servi fidèlement ses maîtres, tous les jours de sa vie. Remplie d'eau et de savon, elle les a aidés à devenir propres. Tous les gens de cette maison ont profité de ses services; oui, tous.

– Oui, oui, c'est vrai, s'exclame une autre baignoire. Même les enfants qui jouaient dans la terre et qui avaient du sable jusque dans les oreilles. Même le chien que les enfants lavaient dans la baignoire avec une brosse.

– Un chien! s'écrie une baignoire neuve. C'est dégoûtant. Pouah!

– Nous sommes là pour laver les gens, nous pouvons laver un chien aussi, proteste une bonne vieille baignoire.

La baignoire décidée toussote un peu pour montrer qu'elle n'est pas contente d'être dérangée dans son discours et elle continue.

– Donc, Émilie a toujours bien fait son travail. Mais ce n'est pas tout. Il s'est passé quelque chose de bien plus grave. Un jour . . .

L'assemblée cesse de chuchoter et suit avec attention.

– Un jour, murmure la baignoire à voix basse, un jour, Émilie a failli mourir en faisant son travail.

L'assemblée ouvre de grands yeux.

– Oui, Mesdames les baignoires. Émilie a failli mourir. Un jour, quelqu'un a voulu prendre un bain. Il a fait couler l'eau du robinet, a sorti des serviettes propres, a préparé le savon et ... a oublié de fermer le robinet. L'eau a monté, monté, monté. Émilie avait peur. L'eau montait, montait, encore et encore ...

– Et alors? demandent les baignoires apeurées.

– Hé bien! hé bien! fait la baignoire en toussotant, l'eau n'est pas montée jusqu'au bord puisque, sous le robinet, il y avait un petit trou, un *trop-plein,* qui permettait à l'eau de s'écouler. Mais Émilie a quand même failli se noyer, se hâte-t-elle d'ajouter. C'est grave, ça!

Les baignoires pouffent de rire.

– Voyons, voyons, ma bonne amie, déclare la fée Porcelaine. Une baignoire ne peut pas se noyer. Il y a un trop-plein dans toutes les baignoires. C'est fait pour ça. Émilie ne courait aucun danger.

La baignoire va reprendre sa place, déçue de ne pas avoir fait plus d'effet.

Ensuite, une baignoire solennelle, vient faire son petit discours, en parlant lentement, pour être bien comprise de toutes ses collègues.

– À mon avis – après toutes ces années de loyaux services – Émilie devait recevoir une récompense et non être jetée au hangar, voilà. C'est une question de justice, oui, de justice. C'est tout ce que j'avais à dire.

– Ce n'est pas ce que je pense, répond une baignoire désinvolte. Une baignoire est faite pour laver des gens. Si elle ne peut plus laver, c'est normal qu'elle soit remplacée et qu'elle soit remisée.

– Hé là! hé là! réplique une baignoire dans la force de l'âge. Qui a dit qu'elle ne pouvait plus vraiment laver? Une baignoire, c'est bon pour la vie. C'est du solide.

– Justement, réplique la jeune baignoire de sa voix un peu pointue. Justement! C'est trop solide. C'est bien trop long une vie. Les maîtres doivent être fatigués d'avoir toujours la même baignoire. Et puis, il faut être de son temps: une baignoire, c'est démodé. Aujourd'hui, les gens veulent des douches;

c'est plus pratique et c'est moins encombrant. Les gens ont eu raison de la remiser. L'avenir est aux douches.

– Bravo! Bravo! approuvent de jeunes baignoires sans comprendre que si les gens rejettent toutes les baignoires, elles seront bien mal prises elles aussi.

– Allons, allons, dit une baignoire à la voix douce. Vous avez toutes raison. Oui, Émilie a bien fait son travail toute sa vie. Oui, Émilie ne devrait pas être rejetée au hangar. Oui, Émilie pourrait encore être utile. Oui, c'est vrai que les gens préfèrent les douches. Mais nous devons admettre qu'à son âge, Émilie n'est plus étincelante comme dans sa jeunesse. Après toutes ces années, elle doit avoir la peau jaunie, le ventre écaillé, les yeux cernés, et avouons-le, les pattes démodées. Peut-être qu'Émilie pourrait avoir un autre travail ou une autre maison. Elle aurait peut-être une vie plus agréable, après tout.

L'assemblée réfléchit. Que faire? Comment venir en aide à Émilie?

– De toute façon, elle est prisonnière dans le hangar. Comment pourrait-elle se trouver une autre maison? demande une baignoire.

Les baignoires continuent à chercher une solution. Elles commencent à se fatiguer de cette histoire et elles ont hâte de terminer la réunion.

– On ne peut quand même pas aller la sortir du hangar, s'écrie une autre baignoire.

La fée Porcelaine sourit. Voilà la

solution. Donner à Émilie un don ou un privilège qui lui permettrait de se tirer elle-même de cette situation. Émilie a du courage: elle saura se débrouiller et trouver la meilleure chose à faire.

– Mesdames les baignoires, dit la fée Porcelaine, je propose d'aider Émilie en lui donnant les moyens de se sortir de ce hangar et de se trouver elle-même un nouveau travail ou une nouvelle maison. Je propose de lui donner le pouvoir de marcher, tant qu'elle n'aura pas trouvé un nouveau foyer.

Toutes contentes de cette idée originale et pratique, les baignoires approuvent et crient en choeur:

– Hourra! Hourra! Vive Émilie! Courage Émilie! Hourra! Hourra!

Les baignoires terminent la réunion et quittent la salle en faisant leurs commentaires.

Par delà les mers, par delà les montagnes et par delà les pays, la fée Porcelaine envoie à Émilie un don extraordinaire, le don de marcher.

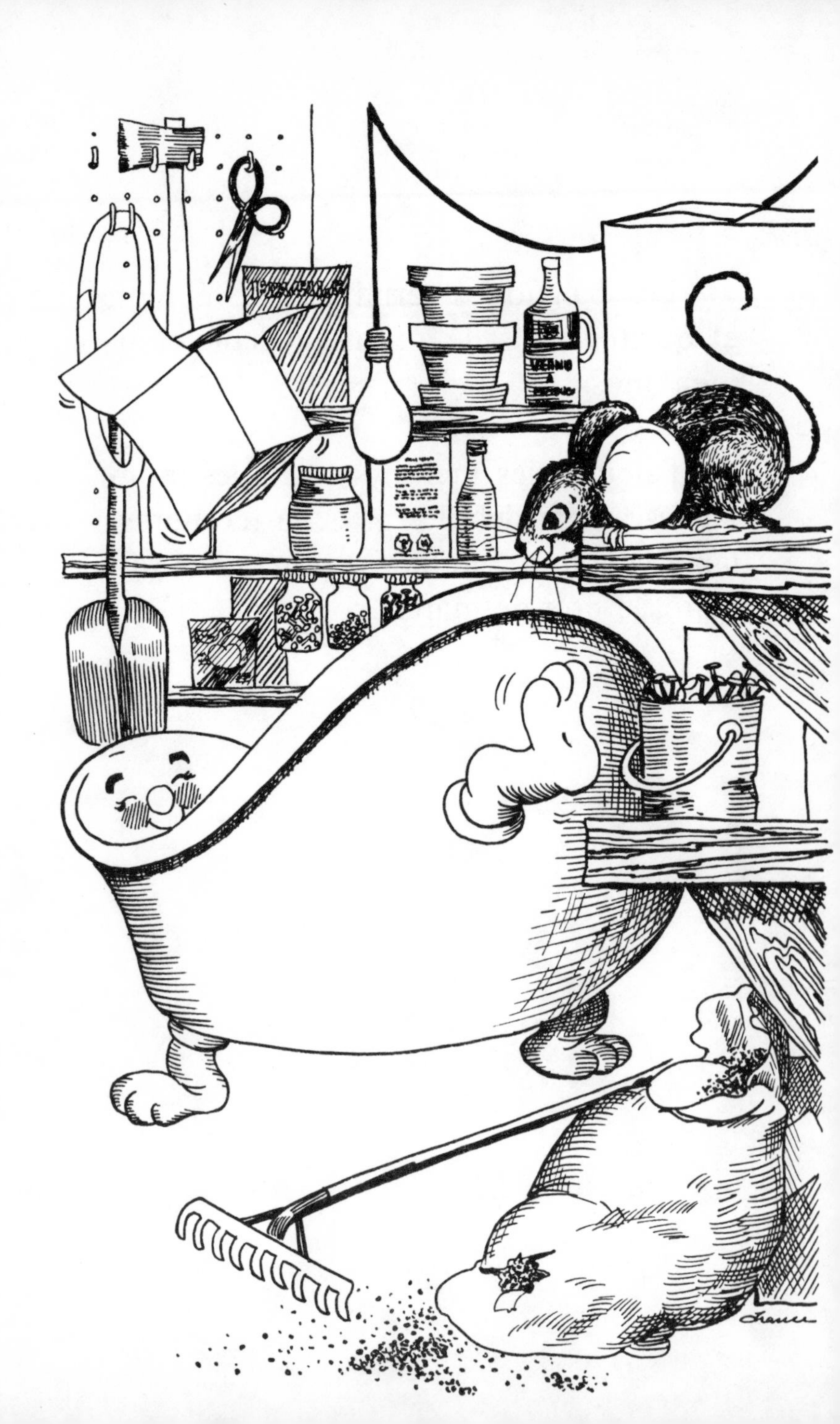

Chapitre 3

Dans le hangar poussiéreux, Émilie est tout à coup remplie d'audace.

– Ah, je suis laide? Ah, je suis vieille? Eh bien, je prouverai à tout le monde que je suis encore utile. Si je m'écoutais, je retournerais à la maison. Ça ne s'est jamais vu une baignoire qui marche, mais quand même, je retournerais et je reprendrais ma place.

Émilie est tout absorbée par ses pensées. À côté d'elle, demoiselle araignée des champs s'avance lentement en se déhanchant. Les longues jambes de soie de l'araignée frôlent à peine la baignoire mais Émilie n'est pas d'humeur à se laisser marcher sur le dos.

– Laisse-moi tranquille, dit-elle. Et elle repousse vivement l'araignée avec sa patte.

Une baignoire qui bouge! Tout le hangar est muet de surprise. L'araignée, les pattes en l'air ouvre de grands yeux. Le vieux fauteuil tombe à la renverse. La lampe échappe son abat-jour.

Mais la plus surprise, c'est bien Émilie.

– Je ne comprends pas. Ce n'est pas possible. Je dois avoir rêvé, se dit-elle en essayant de se convaincre. Non, non, non, les baignoires ne peuvent pas bouger.

Tous les objets la regardent; ils attendent.

– Peut-être que c'est vrai, se dit Émilie tout bas.

Elle essaie doucement de bouger une patte.

– Je marche! Je marche! s'écrie Émilie folle de joie.

Elle bouge toutes ses pattes, de tous les côtés; elle avance, recule, piétine.

– Je marche! Je marche!

Tout près d'Émilie, mais bien cachée, une petite chose a tout vu et continue à bien regarder de ses petits yeux brillants. C'est Pipette, la souris grise du hangar. Elle n'aime pas ce dinosaure de porcelaine. Elle est un peu inquiète aussi. Est-ce dangereux pour une souris? se dit-elle en se levant sur ses deux petites pattes.

Émilie n'arrête pas de bouger.

– Pour une fois que je peux, je ne vais pas m'en priver.

Elle est tout excitée.

Et pourtant, ce n'est pas facile de marcher. Enfin . . . d'apprendre à marcher. Surtout à son âge. La baignoire fait quelques pas mais le hangar est si petit. Elle veut reculer, elle s'accroche dans une pile de boîtes de carton et les fait dégringoler.

– Boum! Boum! Boum! font-elles en tombant.

L'une d'elles tombe dans la baignoire. Émilie essaie de se déprendre. La boîte roule dans tous les sens mais, rien à faire, elle reste dans la baignoire.

Pipette la souris a moins peur. Elle voit bien qu'Émilie n'est pas dangereuse. Au contraire, elle a bien besoin d'aide. La souris va au secours de la baignoire. Dents, griffes et queue, tout le petit corps travaille fort pour sortir la boîte. La baignoire, encouragée, se penche de tous côtés et OUF! ça y est. Pipette et Émilie ont gagné. Elles se font un beau sourire.

Une boîte de carton en a fait deux amies.

À la fin de cette journée remplie d'émotions, Émilie est bien énervée. Elle n'arrive pas à s'endormir. Et puis, c'est la première fois qu'elle ne dort pas dans sa maison: dans la noirceur, les objets du hangar ont l'air d'ennemis. Heureusement, Pipette est là: Émilie se sent rassurée.

Quand elle s'endort enfin, Émilie rêve que les gens de la maison ont besoin d'elle et qu'ils viennent la chercher dans le hangar en la suppliant de revenir. Émilie retourne à la maison en marchant toute seule. Les maîtres sont émerveillés de ce prodige. Émilie s'installe à nouveau dans la salle de bains et grâce à elle, les gens de la maison redeviennent bien lavés et bien propres et ils sentent bon.

Émilie est de nouveau heureuse et les maîtres sont fiers d'avoir une baignoire comme elle.

Chapitre 4

Le lendemain matin, Émilie est dépaysée de se réveiller dans le hangar et il lui faut quelques minutes pour se souvenir de son aventure. Mais elle se sent vite en forme. Fièrement campée sur ses petites pattes, le coeur battant très fort, Émilie se prépare à retourner dans la maison.

– Non, non, lui dit Pipette. Il vaut mieux attendre jusqu'au milieu de l'avant-midi: c'est plus calme dehors.

Le moment venu, Pipette passe son museau par un trou de la porte, regarde à droite et à gauche pour s'assurer que le chemin est libre et qu'il n'y a personne dehors.

Émilie et Pipette poussent la porte mal fermée et les voilà dehors.

– Comme c'est beau dehors, s'exclame Émilie. La fenêtre de la salle de bains est si petite, je ne voyais pas grand-chose.

Émilie regarde de tous ses yeux: les arbres aux belles feuilles vertes, les oiseaux aux plumes douces, les fleurs aux pétales fragiles, les maisons, les pelouses. Émilie prend une profonde respiration pour se remplir les robinets d'air pur; si profonde en fait, qu'elle en est tout étourdie.

– Dépêche-toi, lui souffle Pipette. On n'a pas de temps à perdre.

La baignoire s'avance lentement, un peu craintive d'avoir à marcher jusqu'à la maison; ça semble si loin pour quelqu'un qui vient d'apprendre à marcher.

Pipette qui a fait l'aller-retour quatre fois pendant ce temps commence à s'impatienter.

– Viens, Émilie, viens.

Pipette se fige sur place.

– Attention, crie-t-elle. Sauve-toi. Vite!

Courant de toutes ses forces, Pipette est disparue dans une de ses cachettes.

– Mais, qu'est-ce qui lui prend? demande Émilie. Où est-elle passée? Oh! qu'ils sont jolis.

Devant la baignoire, trois chatons s'amusent, se roulent, font semblant de se mordre, sautillent. La chatte accourt et fait le dos rond en sortant ses griffes pour défendre ses petits contre cet animal étrange.

Les chatons curieux gambadent autour de la baignoire et essaient d'y grimper. La chatte s'approche et la renifle de partout. Quand elle voit qu'il n'y a pas de danger pour ses petits, elle les prend par la peau du cou, un par un et les fait glisser dans la baignoire lisse. Les chatons s'amusent et poussent de petits cris de joie. C'est amusant de faire des glissades. Mais ils restent pris au fond de la baignoire; elle est trop lisse et les chatons ne peuvent pas remonter tout seuls.

D'un bond, la chatte saute sur les

robinets et en s'étirant, elle reprend ses chatons et les fait glisser à nouveau.

Cachée derrière une roche, Pipette surveille, prête à défendre Émilie. La souris est un peu déçue aussi. Après tout, les chats sont les ennemis de la souris: la baignoire ne devrait pas jouer avec eux puisqu'elle est son amie.

Émilie est contente de faire jouer les chatons. Elle parle avec la chatte qui est bien curieuse de savoir ce qu'Émilie fait dehors.

– Euh! je suis en promenade seulement, répond la baignoire qui a honte d'avouer qu'elle a été rejetée. Je retourne à la salle de bains mais je suis un peu égarée, dit-elle timidement.

– Je vais vous guider, répond la

chatte en relevant fièrement la tête. Je connais bien la maison. Suivez-moi.

La chatte enlève un à un les chatons de la baignoire et, sans bruit, elle saute sur le sol. Le convoi se met en marche. La chatte, toute fière de son importance, la tête bien haute, les chatons excités de ce nouveau jeu et enfin la baignoire, un peu insouciante depuis qu'elle a trouvé de l'aide. Pipette ferme la marche . . . de loin; elle n'abandonne pas Émilie.

Près de la maison, la chatte est attirée par un oiseau et elle quitte Émilie sans l'avertir.

Émilie aurait bien aimé que la chatte l'accompagne dans la maison. Elle soupire: tant pis, elle continuera seule.

Devant elle, un escalier de quelques

marches. Vues d'en bas, elles semblent bien hautes et pour une baignoire qui vient d'apprendre à marcher, c'est toute une affaire.

Pipette surgit et encourage Émilie. La baignoire lève une patte et atteint tout juste la marche.

– L'autre patte maintenant, Émilie, un effort, dit Pipette qui, du haut des marches, surveille le tout.

Faux pas. Boum! La baignoire perd pied et tombe sur le côté, écrasant une plate-bande de pétunias qui s'évanouissent de peur.

Affolée, Pipette houspille Émilie, la pousse de ses petites pattes, court à droite et à gauche.

Émilie se replace et recommence à monter l'escalier.

Pipette aperçoit les pétunias évanouis. Elle s'élance et les relève un à un, souffle dessus pour les ranimer, défroisse leurs pétales.

Émilie continue son escalade.

– Aïe! Aïe! crient les marches qui craquent sous le poids de la baignoire. Qu'est-ce que c'est? Est-ce un éléphant? Aïe! Ouch! Ôtez-vous de là!

Émilie a déjà tant de problèmes à grimper le perron qu'elle n'a pas le temps de s'occuper des marches.

– Excusez-moi, dit-elle, mais il faut bien que je monte.

Après plusieurs essais difficiles, Émilie, tout en sueur, arrive enfin à la porte.

– Ouf! c'est amusant de marcher, pense Émilie essoufflée, mais ce n'est pas facile.

La voilà devant la porte d'entrée. Émilie est impressionnée: la porte lui semble une forteresse avec ses serrures en fer et sa poignée solide.

– Jamais je ne pourrai entrer, pense Émilie. Son coeur se serre. Que trouvera-t-elle dans la maison des maîtres? Où est la salle de bains? Où se diriger? Et surtout, comment se rendre à la salle de bains sans attirer l'attention? Peut-être vaut-il mieux tout abandonner et retourner au hangar?

Heureusement, la fée des baignoires n'a pas abandonné sa protégée et elle est venue voir comment se passe la nouvelle vie d'Émilie.

– Courage Émilie, courage! lui souffle-t-elle.

Chapitre 5

Sur le perron, devant la porte d'entrée qui lui fait si peur, Émilie est bien émue.

Elle se hisse sur la pointe des pieds pour regarder à travers la serrure mais ses pattes sont trop basses: elle ne voit rien. Elle ouvre la porte lentement.

– Crouch . . . ch . . . ch . . . gémit la porte en s'ouvrant.

– Chut! Chut . . . t . . . t, lui murmure Émilie. Ne fais pas de bruit.

Émilie entre dans le portique et examine la petite pièce.

– Peut-être que je serais bien ici.

Elle bouscule le portemanteau et se gare majestueusement mais avec fracas. Le portemanteau s'étire d'indignation: une baignoire dans un portique, quelle horreur! Le porte-parapluies se retourne dans le coin pour ne pas voir une voisine aussi . . . aussi grosse!

– Peuh! fait-il avec dédain.

Le paillasson, lui, proteste. La baignoire a les deux pattes dessus.

– Pousse-toi un peu, gronde-t-il. Tu m'écrases.

– Hum! fait Émilie. Vous n'êtes pas très aimables. De toute façon, je ne faisais que me reposer. Je cherche la salle de bains.

Émilie se retourne et se trouve tout à coup devant . . . une autre Émilie.

– Mais c'est moi, s'étonne la baignoire.

Face au grand miroir, la baignoire se voit des pieds à la tête pour la première fois de sa vie.

– Je ne suis pas très belle, soupire-t-elle. Je ne pensais pas que j'étais si grosse et si encombrante.

– Mais si tu étais mince et légère, tu ne serais pas une baignoire, lui murmure la fée Porcelaine.

– C'est vrai, soupire Émilie en se tournant un peu pour se voir de tous côtés. Au fond, je ne suis pas si mal. Et puis, j'ai des pattes pour marcher, moi.

De nouveau contente, Émilie repart au grand soulagement du portemanteau, du porte-parapluies et du paillasson qui se hâtent d'effacer ce mauvais souvenir de leur vie sans histoire.

Après le portique, il y a un corridor et beaucoup de portes.

– C'est embêtant, réfléchit Émilie, en fronçant les sourcils. Les portes se ressemblent toutes. Quelle est la bonne?

Un peu maladroite, Émilie pousse une porte et entre dans une pièce.

– Ouille! Ouille!

Un tapis épais et à longs poils lui chatouille le ventre.

– Ouille! Ouille!

Émilie sautille et se tord de rire de se faire chatouiller. Tout à coup, ses yeux aperçoivent les portraits des grands-parents, accrochés sur le mur. Eux aussi l'ont vue. Des grands-parents ou de la baignoire, il est difficile de savoir qui est le plus surpris.

La vieille dame du portrait murmure de sa petite voix:

– Tu as vu, Oscar? Maintenant les baignoires marchent.

– Hé oui, répond le vieux monsieur à moustaches. Je savais que le monde avait bien changé, mais pas à ce point.

Les deux vieux reprennent la pose, soulagés d'être du passé.

Émilie regarde de tous côtés. Près

d'elle un fauteuil moelleux tremble de peur que la baignoire s'y laisse choir.

– Je serais complètement écrasé, murmure-t-il avec terreur.

Heureusement, Émilie ne songe qu'à sortir de la pièce pour retrouver la salle de bains.

Dans le corridor, Émilie rencontre la chatte. Quelle joie de revoir une amie au milieu de ce monde étranger.

Mais la chatte détourne lentement la tête et continue sa route, comme si elle n'avait jamais vu la baignoire de sa vie.

Émilie est bien déçue. Elle avait confiance en cette nouvelle amie.

Des pas! Le coeur d'Émilie se met à

battre si fort qu'elle croit que tout le monde l'entend. Vite un abri! Là, à gauche, une porte. Vite! Vite! Elle se cache dans la petite pièce. Un cri étouffé sort de ses tuyaux: il fait noir et des choses la touchent de partout.

– Sors de là! Sors de là! lui crie-t-on de toutes parts en lui donnant des coups de chiffon. Tu prends toute la place.

Émilie sort au plus vite de la garde-robe au grand soulagement de chacun. Les robes secouent leurs jupes, les pantalons allongent leurs jambes. Une robe longue pleurniche parce qu'elle est toute froissée. Un long foulard de soie s'époussette avec sa frange. Les souliers se cherchent et s'enlacent deux à deux.

Le danger est passé. Ouf! Chacun

reprend sa position, bien rangé, discipliné, silencieux, digne.

Encore une fois dans le corridor, Émilie reprend son souffle, découragée. Où aller? Émilie commence à se demander si elle ne s'est pas trompée de maison.

Encore une porte. Cette fois Émilie longe le mur et regarde prudemment sans entrer. Non, une chambre. Rien à faire ici.

Mais au fond de son coeur, quelque chose lui dit qu'elle arrive, qu'elle est tout près du but. Émilie se hâte vers une porte à sa gauche et . . . LA VOILÀ . . . la salle de bains! Émilie est arrivée!

– Quoi? Qu'est-ce que c'est? Ce n'est pas possible!

Émilie pensait reprendre sa place, simplement. Elle pensait que les maîtres devaient être en peine de ne plus avoir de baignoire. Jamais elle n'aurait pensé que ... qu'ils avaient acheté ... une autre baignoire! Une autre baignoire est là bien encastrée, étincelante dans sa porcelaine toute neuve, les robinets luisants.

– Et moi alors? s'écrie Émilie. C'est ma place, c'est ma salle de bains. Va-t'en!

La nouvelle baignoire ne comprend rien à ce que la vieille baignoire raconte. On l'a achetée, on l'a placée ici. C'est tout.

– Quand je suis arrivée ici, il n'y avait personne, lui dit-elle avec l'assurance de sa jeunesse. Qu'est-ce que vous avez à crier si fort?

– Mais tu es à MA place! Qu'est-ce qu'on va faire de moi si je ne suis pas une vraie baignoire, dans une vraie salle de bains?

Émilie est bouleversée. Elle ne veut pas admettre qu'elle n'a plus sa place ici.

– Va-t'en! crie-t-elle. Va-t'en!

De ses pattes de devant, Émilie, avec la force de la colère, essaie de déloger la jeune baignoire qui commence à se demander sérieusement si cette espèce de vieille baignoire est folle et dans quelle sorte de maison elle a bien pu arriver.

– Sors d'ici. Va-t'en! C'est ma place. Va-t'en! crie Émilie.

Toute la maisonnée est alertée par le bruit et accourt pour voir ce qui se passe.

– Que fait-elle ici? s'exclament les maîtres, tous ensemble. Comment est-elle revenue? Ça alors!

Émilie est saisie de toutes parts et péniblement, on la reporte au hangar. Péniblement en effet, parce qu'Émilie boude et qu'elle fait exprès d'être encore plus pesante; c'est lourd, de la porcelaine, et les maîtres ont besoin de toutes leurs forces pour la transporter.

Cette fois, les maîtres verrouillent la porte du hangar: on ne sait jamais. Il vaut mieux prendre des précautions avec cette étrange baignoire.

Dans le hangar, les vieux objets dévisagent Émilie. Eux aussi voudraient bien retourner dans la maison mais ils ne marchent pas, eux.

La vieille lampe tourne son abat-jour pour vieux voir ce qui se passe. La malle démodée, un peu snob d'avoir beaucoup voyagé, commence à faire la leçon à Émilie et à lui donner des conseils.

– Si j'étais à votre place, ma chère, je . . .

– CLAC! Émilie lui ferme le couvercle d'un coup de patte; elle ne veut pas de ses conseils prétentieux.

Dans le hangar sombre, Émilie réfléchit longtemps . . . une baignoire dans un portique, ce n'est pas une bonne idée . . . Deux baignoires dans une salle de bains, ce n'est pas possible. Et puis, Émilie n'aimerait pas l'autre baignoire, elle le sent. Au fond, Émilie a bien vu que l'autre baignoire est jeune et jolie . . .

Elle se sentirait vieille à côté de la nouvelle.

Pipette la souris, réfléchit très fort elle aussi. Et quand on est une petite souris, on a vite fait le tour de sa petite tête.

– Voilà! s'écrie-t-elle joyeuse. La cuisine! Il faut aller dans la cuisine. J'y allais autrefois avant que les chats n'arrivent dans le maison. Je te conduirai si tu veux.

Émilie ne prend pas le temps de se demander si c'est une bonne idée: en avoir une, c'est suffisant. Les deux complices décident de mettre leur plan à exécution à la nuit tombée pour ne pas être vues. Quand les maîtres verront Émilie installée tranquillement dans la cuisine, ils finiront bien par la reprendre chez eux.

Chapitre 6

Au moment voulu, Pipette part en avant et passe par un trou dans la porte. Émilie essaie d'ouvrir la porte: rien à faire – elle avait oublié que les maîtres avaient verrouillé le hangar. C'est plus compliqué. Tant pis! Quand on est une baignoire décidée, on fonce!

Émilie se recule pour mieux sauter et se rue sur la porte. Aïe! Émilie s'accroche, pirouette, fonce sur la porte et bascule avec elle. P L O F ! La voilà par terre, les quatre pattes en l'air.

Pauvre Émilie. Ce soir, ça va mal! Dehors il pleut à verse, l'orage fait entendre de gros coups de tonnerre (heureusement, car l'orage a couvert le vacarme que vient de faire Émilie). Mais la porte est tombée dans la vase et la baignoire est éclaboussée, couchée sur le ventre, ses quatre petites pattes gigotent en l'air. Elle a beau se tortiller, se trémousser, elle n'arrive pas à se remettre sur ses pattes.

Pipette la harcèle de tous côtés en pataugeant dans la boue.

– Oh! hisse! Oh! hisse! fait la souris en poussant sur la baignoire. La souris se démène, pousse, fait le tour de la baignoire, les moustaches toutes mouillées.

– Je ne suis pas assez forte, soupire-t-elle. Il faudrait une grosse bête. Attends! J'ai une idée, s'écrie-t-elle. Je vais chercher de l'aide.

Pipette disparaît au milieu des éclairs. La pluie tombe de plus en plus. Émilie frissonne sous l'orage.

Pipette revient avec Lourdaud, le chien saint-bernard. Il est un peu mécontent de sortir de sa niche au milieu de l'orage. Mais Lourdaud est curieux de connaître cette étrange chose qui bouleverse la vie tranquille du hangar.

Émilie est humiliée d'être dans une position aussi ridicule devant un étranger. Mais Lourdaud a des yeux bons et gentils et elle se sent en confiance.

Lourdaud regarde la baignoire, la porte défoncée, la souris trempée. Il hoche sa grosse tête en se demandant quoi faire pour réparer les dégâts.

– Il faut l'aider à se remettre sur pied, lui explique Pipette.

Lourdaud s'approche et pousse la baignoire avec sa grosse tête. La baignoire bouge à peine. Le chien pousse plus fort: rien. Le gros saint-bernard se met de côté, le corps le long de la baignoire et de toute sa force, il pousse très, très fort.

– Oh! hisse! Oh! hisse! fait la souris qui dirige les opérations.

La baignoire bouge et hop! elle se remet sur pieds en éclaboussant complètement Lourdaud. Le chien lui lance un long regard à travers ses cils ruisselants de pluie.

– Excusez-moi, dit Émilie, morte de

honte. Je suis désolée. Vous êtes si bon pour moi, et moi, je vous éclabousse . . .

– Ça va, ça va, grogne un peu le saint-bernard. Ce n'est pas grave.

Émilie lui fait un sourire mouillé de larmes. Mais Pipette commence à en avoir assez de se faire pleuvoir sur la tête.

– Viens, Émilie. Ne restons pas là. Merci, Lourdaud.

Courageusement, Émilie se dirige vers la maison. Émilie ne craint pas l'eau tiède et savonneuse: elle en a tant vu dans sa vie. Mais toute cette pluie qui tombe, et qui la remplit, et qui ballotte à chacun de ses pas c'est beaucoup moins drôle!

Plus la pluie tombe, plus la baignoire

se remplit et plus elle enfonce dans la boue. Déjà basse sur pattes, Émilie s'embourbe à chaque pas; elle a l'impression de se noyer.

Lourdaud, la langue pendante, regarde la baignoire et la souris cheminer péniblement sous l'orage. Peut-être vont-elles encore avoir besoin de lui. Alors, il vaut mieux rester là et attendre. C'est moins fatigant que de revenir, pense le saint-bernard qui n'aime pas se déranger souvent ni se presser.

Pas à pas, Émilie et Pipette se sont rendues à la maison. En laissant de grosses flaques de boue derrière elle, Émilie entre dans la cuisine.

Ça, Lourdaud ne le comprend pas: qu'on le fasse sortir à la pluie: ça va! Qu'il aide la baignoire à se remettre sur pied: c'est naturel! mais qu'elle, (bien plus grosse que lui, il faut bien le dire, maugrée Lourdaud) entre dans la maison, ruisselante de boue, dans la maison où lui, le chien fidèle, n'a jamais eu la permission d'entrer: ÇA, c'est difficile à accepter. Lourdaud, assis sur ses pattes de derrière, la langue pendante, n'arrive pas à comprendre, ça lui fait même un peu mal au coeur. Le chien branle doucement sa grosse tête et retourne lentement dans sa niche.

Dans la maison, Émilie se cherche une place. Elle ne veut gêner personne, mais alourdie par la boue, gênée par l'obscurité et à moitié pleine d'eau, Émilie gâche tout. BANG! elle se cogne à une chaise, éclabousse la cuisinière électrique qui rougit de tous ses feux et fait retentir toutes ses sonneries pour montrer sa colère.

–Dringgggggggggggggg . . .

Tout énervée, Émilie se hâte, se coince entre la table et le réfrigérateur qui se met à ronronner bruyamment. Au bord de la panique, Émilie fait un pas de plus, renverse une étagère, écrase la queue du chat, et complètement affolée, fond en larmes, inondant la cuisine.

La dame de la maison s'éveille brusquement et se met à crier:

– Qu'est-ce que c'est? Qu'est-ce que c'est?

Tout le monde se lève pour voir ce qui se passe; on essaie de savoir d'où vient le bruit. Quand les maîtres arrivent dans la cuisine et se mettent les pieds dans l'eau, ils sont si fâchés qu'ils crient encore plus fort que le poêle, le réfrigérateur et la baignoire ensemble.

– Assez! hurle le maître.

Le silence tombe dans la maison, troublé par Émilie qui n'arrête pas de renifler. Les gens regardent la baignoire, évaluent les dégâts sans dire un mot, épongent l'eau sur le plancher et retournent se coucher, leurs pyjamas tout mouillés. Sans dire un mot! Cette fois, Émilie le sent bien, elle est allée trop loin. Les choses vont mal, très mal. Dehors, loin du chat, Pipette se désole pour son amie.

Chapitre 7

Le lendemain, ne sachant plus que faire d'une baignoire pareille, on porte Émilie à la rivière.

– Oh! hisse! Oh! hisse!

Après bien des efforts, Émilie est enfin déposée au bord de la rivière. Elle a à peine le temps de s'apercevoir de ce qui lui arrive: les maîtres la mettent à l'eau et la poussent au milieu de la rivière.

Émilie se débat de toutes ses forces, ballotte, manque de verser, se démène, s'agite en tous sens.

– Au secours! Au secours!

Les maîtres s'en vont en se frottant les mains: cette fois, ils sont bien débarrassés de la baignoire. Les poissons s'enfuient dans les algues à toute vitesse: ils n'ont jamais vu de barque avec des pattes.

Émilie refuse de couler au fond de la rivière. Elle s'agite tellement qu'elle finit par revenir au bord de l'eau. Bientôt elle pourra marcher dans un peu d'eau. Ça y est. Elle pose le pied sur les cailloux du rivage, elle sort de l'eau, elle s'avance et BOUM! elle s'étale à plat ventre dans l'herbe. Plus rien n'existe; tout ce qui compte c'est de reprendre son souffle.

Doucement, le soleil sèche le dos et les pattes d'Émilie, il caresse la baignoire de ses rayons chauds. Et tout doucement, Émilie, qui a failli mourir, réalise qu'elle vit. Elle est bien vivante, peut-être pour la première fois de sa vie. Isolée au fond de la salle de bains, avec la même petite vie tranquille pendant des années, Émilie qui n'a jamais senti la chaleur du soleil, ni goûté la douceur de l'herbe sourit à la beauté des fleurs. Émilie commence à vivre au moment où elle a cru que tout était fini. Et dans son corps de porcelaine frémit un grand désir de vivre, d'être heureuse, de ne plus avoir peur. C'est comme dans un rêve.

– Je n'avais jamais su que la vie pouvait être si belle, murmure-t-elle.

Tout près d'elle, une fleur ondule lentement sur sa longue tige et lui donne un baiser. L'herbe se couche tendrement pour lui faire un tapis bien doux. L'eau sautille sur les rochers et chuchote doucement. Une silhouette arrive à toute vitesse: c'est Pipette.

– Émilie! Émilie! crie-t-elle en se démenant dans tous les sens. Émilie, tu es bien? Ça va bien?

Pipette a eu si peur pour Émilie. La souris sautille de joie autour de la baignoire.

– Bravo Émilie! Bravo!

La souris se calme un peu et essaie de réveiller Émilie qui fait la sieste après toutes ces émotions.

– Il faut s'en aller, lui dit-elle. Il faut se sauver avant qu'ils ne reviennent te chasser encore.

La baignoire sourit: on ne se cache pas quand la vie est si belle.

– Mais ils vont encore te causer des ennuis, insiste Pipette. Ne reste pas là, Émilie, viens.

Émilie écoute à peine et flâne. Elle regarde flotter les nuages. Elle se sent bien.

– Attention Émilie, supplie Pipette en essayant de la secouer. Quelqu'un vient. Quelqu'un vient. Sauvons-nous, Émilie. J'ai peur!

Émilie regarde. C'est vrai, quelqu'un vient.

– Émilie, j'ai peur, dit la souris qui tremble sur ses petites pattes.

La baignoire sourit des craintes de la souris. Elle se soulève un peu, la souris se glisse sous la carapace de porcelaine, bien à l'abri. Émilie reprend sa place, contente d'avoir rassuré la souris.

En fait, Émilie ne s'énerve pas parce qu'elle ne craint pas les gens qui s'approchent. Ce sont deux enfants. Et les enfants aiment bien les baignoires (du moins, tant qu'il ne faut pas se laver).

Les enfants sont surpris de rencontrer une baignoire au bord de la rivière, et à l'envers.

– Qu'est-ce qu'elle fait ici? dit la petite fille en faisant le tour.

– Peut-être que les personnes qui l'ont apportée sont près d'ici, répond le petit garçon.

Les enfants cherchent aux alentours. Personne. Ils viennent souvent jouer ici et ils sont certains qu'il n'y avait pas de baignoire à cet endroit hier.

– Peut-être que quelqu'un a voulu la porter aux déchets, suggère le petit garçon.

Aux déchets! Hum! Émilie n'est pas très flattée.

– Ce n'est pas tout à fait ça, répond-elle. Disons . . . que je n'ai plus de place dans la salle de bains.

Les enfants sont encore plus étonnés de l'entendre parler. Ils sont curieux et veulent connaître les aventures de cette baignoire étrange. Émilie leur raconte qu'elle a été rejetée de la salle de bains, mise au hangar, qu'elle est retournée dans la maison et qu'on a voulu la noyer pour s'en débarrasser.

– C’est triste, dit la petite fille. Il devrait y avoir des maisons de repos pour les vieilles choses.

– Je ne veux pas me reposer, répond Émilie. Je veux être une baignoire comme les autres et continuer à rendre les gens bien propres.

Les enfants décident d’aider Émilie. Assis sur la baignoire renversée, les jambes ballantes, ils se demandent ce qu’ils pourraient faire pour leur nouvelle amie. Cachée sous la baignoire, Pipette la souris commence à s’énerver. Il fait noir. Elle ne voit rien. Elle se sent prisonnière. Et puis, il y a quelqu’un qui donne des coups de pied sur la baignoire et ça fait beaucoup de bruit dans sa caverne de porcelaine. Pipette se bouche les oreilles et crie à tue-tête:

– Laissez-moi sortir. Laissez-moi sortir. Émilie, au secours!

Rien à faire. La petite voix pointue de la souris ne traverse pas la carapace de la baignoire. Émilie n'entend rien.

Puisque personne ne l'aide, Pipette se débrouillera toute seule. Apeurée par le noir et déçue de voir qu'Émilie l'a oubliée, Pipette se creuse un trou pour sortir de sa prison. Comme la souris est petite, elle a vite fait de se creuser un tunnel; elle se glisse sous la baignoire et sort de son trou, tout énervée.

La souris est en sueur, de la terre sur le museau et dans les oreilles, les moustaches de travers et les griffes noires de terre. Pipette est si drôle à voir que les enfants et Émilie pouffent de rire. Le petit coeur de la souris bat bien fort après toutes ces émotions et ces frayeurs. Mais quand elle voit que les autres rient de si bon coeur, elle cesse de s'énerver, sourit un peu, puis se met à rire elle aussi.

Au bord de la rivière, les fleurs, l'herbe et les cailloux sont heureux de la joie d'une baignoire, d'une souris et de deux enfants. Les poissons, eux, continuent à se raconter l'histoire étrange d'une chaloupe avec des pattes.

Chapitre 8

Les enfants continuent à chercher un moyen d'aider Émilie.

– Tu connais une maison qui n'a pas de baignoire? demande la petite fille.

– Toutes les maisons ont des baignoires, répond le petit garçon. Et puis, personne ne voudra de celle-ci: elle est trop vieille.

– Alors, il faut lui trouver une maison pour les vieilles choses, redit la fillette, qui tient à son idée.

– Oui! s'écrie le petit garçon. J'ai trouvé. Nous allons amener Émilie dans une pension pour vieux meubles: chez un antiquaire. Dans ces magasins, il n'y a que de vieilles choses. Comme ça, Émilie sera à l'aise et elle se sentira bien.

– Je savais bien que ça existait, dit la fillette toute contente. Allons-y tout de suite.

Émilie ne comprend pas tout à fait ce que c'est un antiquaire. Mais puisque les enfants disent qu'elle retrouvera d'autres vieux objets, elle veut bien y aller. Jusqu'ici, elle ne s'inquiétait pas beaucoup de son sort; mais elle sent bien qu'elle ne peut rester au bord de la rivière et comme elle ne veut pas retourner au hangar non plus, il vaut mieux écouter les enfants.

D'abord, il lui faut se remettre sur pied. Les enfants et Pipette poussent dessus, poussent encore, creusent la terre et finalement réussissent à la retourner.

– Enfin! dit Émilie qui commençait à avoir les pattes engourdies. Elle fait quelques pas pour se remettre en forme. Elle a hâte de partir. Allons-y, dit-elle joyeusement.

– Nous allons prendre le métro, disent les enfants. Suis-nous, Émilie.

Pipette ne sait pas quoi faire. Elle se demande si elle doit accompagner Émilie. Non, elle est bien au hangar et elle préfère y rester. Et puis la baignoire n'a plus besoin de son aide: les enfants en prendront bien soin. Pipette a un peu de chagrin de quitter son amie; elle trouvait bien amusant de vivre toutes ces aventures.

– Bonne chance, Émilie. Tu me manqueras, lui dit-elle tout bas, les larmes aux yeux.

– Toi aussi Pipette, répond Émilie qui, en quelques jours, s'est attachée à la petite souris si gentille. Merci beaucoup de ton aide. Bonne chance à toi aussi.

Pipette donne un baiser à Émilie et elle la regarde partir avec les enfants.

– Heureusement que tu marches, Émilie. Tu es trop lourde pour nous, dit la fillette.

– Oui, ajoute le petit garçon. Peut-être que l'antiquaire te trouvera plus facilement une nouvelle maison puisque tu sais marcher.

Les enfants et la baignoire trottinent

sans se presser. Les enfants bavardent. Émilie regarde de tous ses yeux. Sa maison est dans la ville (enfin, son “ancienne” maison) mais Émilie n’a jamais rien vu d’autre que la salle de bains.

– Il y en a des choses dans une ville, se dit-elle émerveillée.

Émilie traîne un peu; elle veut tout voir. Les arbres, les passants, les maisons, les monuments, les voitures. Les passants dans la rue sont très surpris de voir une baignoire qui marche et ils oublient parfois de traverser la rue au feu vert. Le trio continue sa route sans se laisser impressionner.

– Voilà le métro, dit le petit garçon.

– Mais qu’est-ce que c’est un métro? demande la baignoire.

– C'est comme un train mais sous la terre, lui explique la petite fille.

Émilie n'est pas plus avancée: elle ne sait pas ce que c'est un train.

– C'est une façon de voyager, dit la fillette qui devine qu'Émilie ne comprend pas.

Émilie se rassure. Plus les enfants et elle approchent de la station de métro, plus il y a du monde et plus les gens marchent vite. La vieille baignoire est un peu étourdie. Elle commence à se demander si elle n'était pas plus tranquille dans sa salle de bains.

Les enfants ouvrent la porte: Émilie passe tout juste, en prenant toute la place. Elle n'est pas sitôt entrée qu'elle frissonne sous un courant d'air, se fait bousculer par les gens pressés; elle est assourdie par le bruit.

– Qu'est-ce que je fais ici? se dit-elle avec crainte.

Au guichet, les enfants demandent au contrôleur s'il y a un tarif pour une baignoire.

– Une baignoire? Où ça? répond-il en riant. Dans vos poches, peut-être? C'est le même tarif que pour les éléphants et les dinosaures. Et il éclate de rire.

Les enfants n'insistent pas. Tant pis! Émilie passera sans billet. Mais ils n'ont pas pensé que la baignoire est trop grosse pour franchir les tourniquets; de toute façon, sans billet, c'est impossible. Derrière eux, les gens s'impatientent.

– Qu'est-ce qui se passe? Mais dépêchez-vous en avant! bougonnent-ils. Vous avancez, oui ou non?

Les enfants font ce qu'ils peuvent mais ils n'y arrivent pas. Dans la foule, des étudiants veulent savoir ce qui se passe.

– Hé, mais c'est une baignoire! s'exclament-ils de bonne humeur. Allons, tous ensemble, un coup de main pour la baignoire. Allez HOP!

Soulevée de tous côtés, la baignoire passe au-dessus des tourniquets avant d'avoir le temps de dire ouf! Les étudiants la soutiennent tout le long de l'escalier roulant et la déposent sur le quai. Ils s'amusent de cette aventure et ils sont bien contents aussi d'en avoir profité pour entrer sans payer. Un vieux monsieur est tout énervé de voir une baignoire dans une station de métro.

"Je dois être fatigué", se dit-il à lui-même. Et pour essayer de se calmer, il rouspète contre les étudiants tapageurs.

– Au lieu de faire des infractions à la loi, en faisant entrer gratuitement des ... des ... des espèces de vieille baignoire, vous auriez mieux fait d'en profiter pour vous laver. Oui, c'est ça! Vous laver!

Les étudiants s'amusent de la fausse colère du vieux monsieur et ... oups! ... les voilà déjà repartis. Ils s'éloignent à toute vitesse en laissant Émilie sur le quai, honteuse de ne pas avoir eu le temps de les remercier.

Les enfants rejoignent Émilie. Les gens plissent les yeux devant cette é-trange chose qui veut prendre le métro. Une baignoire dans une salle de bains, c'est bien. Sur le quai d'un métro, c'est presque . . . indécent, songent-ils. Émilie regarde de tous ses yeux: tant de gens à la fois, c'est étourdissant. Émilie regrette de plus en plus la tranquillité de sa salle de bains.

Tout à coup, un bruit arrive et s'amplifie: c'est la rame de métro qui sort du tunnel. Émilie frissonne sous le courant d'air. Les portes s'ouvrent, les gens sortent des wagons et se bousculent; sur le quai, les gens poussent pour entrer. Les enfants aident la baignoire à entrer aussi, mais ses petites pattes n'avancent pas vite. Émilie bloque la porte, les gens la poussent, la bousculent et BOUM! les portes se referment sur Émilie, moitié dans le wagon, moitié sur le quai: Émilie est coincée.

– Libérez les portes. Libérez les portes, dit le conducteur au micro.

Les enfants tirent fort sur Émilie pour la faire entrer. Des gens du wagon la poussent, d'autres la tirent. Les portes s'ouvrent et se referment.

– Libérez les portes. Libérez les portes, répète le conducteur qui se penche à la portière pour voir ce qui se passe.

– Mais, qu'est-ce que c'est que ça? dit-il en voyant sur le quai un groupe de gens qui tirent, poussent, parlent fort et rient.

Dans le wagon, c'est la même chose: des gens poussent Émilie, d'autres la tirent. Émilie ne sait plus où donner de la tête, elle retarde tout le monde. Finalement, le conducteur, les enfants et les gens du wagon réussissent à pousser la baignoire à l'intérieur, malgré les protestations des personnes qui doivent se tasser. La baignoire prend toute la place.

Le conducteur retourne à sa cabine, les portes se referment enfin; le métro démarre. Les gens pressés regardent leur montre avec un peu de mauvaise humeur: ils ont perdu deux grosses minutes . . .

Dans le wagon, Émilie essaie de se faire toute petite pour prendre moins de place, mais pour une baignoire, c'est un peu difficile . . . Les gens la mettent debout . . . elle glisse. Ils la rattrapent et la remettent debout en l'appuyant sur le mur.

Premier arrêt: Émilie glisse un peu mais tout va bien. Deuxième arrêt . . . Émilie glisse un peu plus. Les secousses du métro continuent à la faire glisser, et au troisième arrêt . . . PATATRAS! . . . la baignoire glisse complètement et retombe sur ses quatre pattes. Tout le monde tombe dans la baignoire comme des pommes dans un panier.

– Au secours! Aïe! À l'aide! Ouch! Ôtez-vous de là! Ouch!

Dans le wagon, c'est le fouillis. Des enfants s'amusent de la bousculade, une dame a perdu son sac à main, les hommes ont la cravate de travers et le vieux monsieur grincheux de tout à l'heure est encore de plus mauvaise humeur.

Le conducteur fait sortir la baignoire sur le quai.

– Écoutez, madame la baignoire, vous retardez tout le monde. Il n'y a pas de place pour vous dans un métro, ajoute-t-il en fronçant les sourcils.

Les enfants se hâtent de sortir aussi pour ne pas laisser Émilie toute seule. Les enfants et la baignoire restent sur le quai, penauds, et regardent le métro repartir sans eux.

Un agent de sécurité s'approche d'eux.

– Elle est à vous, cette baignoire? demande-t-il aux enfants.

– Non, dit le petit garçon. Nous l'avons trouvée au bord de la rivière.

Nous voulons l'amener chez un antiquaire.

– Pour lui trouver une autre maison, ajoute la petite fille.

Le gardien se gratte la tête.

– Que vais-je faire d'elle? dit-il.

– Pouvez-vous nous aider à l'amener chez un antiquaire? demandent les enfants.

– Je vais d'abord téléphoner pour savoir s'il y en a un qui veut de la baignoire, répond le gardien; nous déciderons ensuite.

Le gardien va au poste de contrôle, cherche le nom d'un antiquaire dans l'annuaire téléphonique et compose le numéro. À travers la vitre, les enfants le voient qui explique, gesticule, hoche la tête, explique encore. Puis, il sourit. Il revient dire aux enfants qu'un antiquaire vient la chercher avec sa camionnette.

Avec l'aide du gardien et des enfants, Émilie reprend les escaliers roulants et elle sort de la station de métro.

Après un bon moment, une camionnette bleue arrive et un monsieur se dirige vers Émilie.

– Alors, on se promène en métro? dit-il en souriant.

Les enfants expliquent comment ils ont trouvé Émilie et demandent à l'antiquaire s'il veut bien s'occuper d'elle pour lui trouver un autre maison.

– Je vais essayer, dit-il.

Les enfants disent au revoir à Émilie et lui souhaitent bonne chance. La baignoire les remercie de leur gentillesse. Elle regarde les enfants s'éloigner et elle pense qu'elle s'est fait plus d'amis en quelques jours que durant toute sa vie dans la maison.

Chapitre 9

Après un long chemin, la camionnette s'arrête devant un magasin un peu bizarre. L'antiquaire et ses employés descendent la baignoire de la camionnette et ils la portent dans le magasin.

À son entrée, une clochette tinte joyeusement comme pour lui souhaiter la bienvenue. Émilie regarde, craintive et curieuse.

– Il y en a des choses ici, se dit-elle émerveillée.

Des chaises, des lustres, des bibelots, des vases, un phonographe, une nappe de dentelle et plein d'autres choses.

– Comme chez moi autrefois, rêve Émilie qui se souvient de son arrivée dans la maison, alors qu'elle était une jeune baignoire pimpante. Dans la maison, il y avait des meubles tout comme ceux-ci.

Émilie rêvasse sur son passé en faisant un gros soupir.

– Mais, s'écrie-t-elle tout à coup, si ce sont des meubles d'autrefois, ils sont aussi vieux que moi! Alors . . . nous sommes du même âge!

Ses maîtres la trouvaient laide et vieille? Ici, on l'apprécie JUSTEMENT parce qu'elle est vieille (mais pas laide, bien sûr). Pour un peu, Émilie se serait vieillie davantage. Elle se sent bien à sa place dans cette pension pour vieux meubles: une boutique d'antiquités.

Ce n'est pas l'avis d'un vase précieux qui trouve RI – DI – CU – LE qu'une . . . chose . . . pareille soit admise dans la boutique.

Auguste l'antiquaire, les mains sur les hanches, dévisage Émilie.

– Que vais-je faire de toi? Je ne suis pas certain que mes clients s'intéresseront à toi. Mais peut-être trouveras-tu ici une autre maison. En attendant, il faut te faire une place.

Auguste fait transporter Émilie dans la vitrine, avec les objets nouvellement arrivés. Pour ne pas perdre d'espace, Auguste remplit la baignoire d'objets: un tabouret sculpté qui se sent en insécurité sur ce sol glissant, une jardinière un peu rouillée qui s'ennuie de ses plantes vertes, un vieux tapis de Turquie, usé par endroits. Auguste plie le vieux tapis et l'étend sur le bord de la baignoire.

Après un long moment, le vieux tapis hasarde quelques mots.

– Hum! Hum! ... Vous êtes ici depuis longtemps, madame?

Émilie se rengorge.

– Oh non! monsieur. Depuis cet après-midi. Et vous?

Le vieux tapis et la vieille baignoire, tout heureux de trouver un camarade, commencent à jaser. Ils se racontent leur vie, leurs aventures, les choses qu'ils ont vécues. Émilie est si heureuse d'avoir trouvé un ami qu'elle en oublie tout à fait ses mésaventures.

Chapitre 10

Émilie s'adapte rapidement à la routine de la boutique et à ses compagnons, les vieux meubles. Au début, ceux-ci la regardaient avec dédain: une vieille baignoire, cernée et jaunie . . . pouah! Mais la bonne humeur d'Émilie arrange les choses et elle est acceptée telle qu'elle est.

– Ah enfin! la belle vie, se dit Émilie. Ne rien faire, se reposer toute la journée, se laisser admirer.

Le matin, Auguste l'antiquaire époussette les objets (ceux qu'il peut atteindre: il y en a tellement). La baignoire et le tapis ne sont pas dérangés par l'époussetage et ils *placotent* tout à leur aise.

Les clients arrivent en faisant tinter la clochette de la porte, flânent, regardent partout, repartent. Un meuble est vendu, un autre arrive.

– Comme c'est intéressant. Il y a des choses nouvelles tous les jours.

Émilie se félicite d'être arrivée dans cette boutique, comme si elle y était pour quelque chose.

Mais un beau matin, Émilie commence à être fatiguée de cette vie tranquille. Dans la vitrine, la vie devient insupportable: le jour, le soleil plombe à travers la vitrine et Émilie crève de chaleur – la nuit, Émilie est glacée de froid.

Et puis, le plus gênant, ce sont les passants qui la dévisagent. Au début, elle était fière de cette attention mais maintenant, elle se sent espionnée: passer de l'intimité de la salle de bains à la vie publique d'une vitrine . . . c'est tout un choc.

Et surtout, il n'y a pas moyen de bouger. Émilie a bien essayé mais elle a fait tomber un vase Ming qui s'est cassé en miettes. Auguste était très mécontent et il a failli accuser un client. Émilie n'ose plus faire un pas et trouve les journées bien ennuyantes.

Un après-midi où Émilie est plus triste que d'habitude, un homme en salopette, costaud et fort, s'approche de la baignoire, en fait le tour, la cogne du bout des doigts, essaie de la soulever. Impossible! Elle est trop lourde.

– Parfait, dit-il en se frottant les mains. C'est parfait. Je l'achète.

Émilie est si surprise qu'elle n'arrive pas à croire que c'est vrai.

"Je suis achetée? Moi? "

Surprise, énervée, pimpante, Émilie se hâte de dire au revoir à ses compagnons de la boutique.

L'antiquaire et le client marchandent sur le prix. Auguste finit par accepter le prix de l'homme et il prépare la facture.

– Mais que voulez-vous faire de la baignoire? demande-t-il, curieux.

– Je suis fondeur, répond le client. Une vieille baignoire est faite de fer; il n'y a qu'une mince couche de porcelaine dessus. Je fais fondre le vieux fer. C'est un bon achat, cette baignoire.

– La fondre! s'écrie Auguste. Ah non! Il n'en est pas question.

– Ahhhhhhhh . . . soupire Émilie et elle s'évanouit de peur.

Auguste l'antiquaire est furieux.

– On n'achète pas mes meubles pour les détruire mais pour en prendre soin, dit-il, rouge de colère. Vous ne l'aurez pas, monsieur.

– Ça va! Ça va! bougonne le fondeur. Il reprend son argent et il s'en va en claquant la porte. Il n'a jamais vu un vendeur qui ne veut pas vendre.

Émilie tremble de la tête aux pieds.

– Me faire fondre! Dans le hangar, je ne courais pas un pareil danger. Et j'avais des amis aussi. Où est maintenent Pipette la souris? Pense-t-elle à moi quelquefois? Je suis abandonnée de tout le monde, pense Émilie qui se sent tout à coup seule au monde. Et dans sa peau de porcelaine, passe un long frisson de tristesse.

Chapitre 11

Quelques jours passent. Émilie est toujours dans la boutique d'Auguste l'antiquaire. Si elle est rassurée d'y être à l'abri, elle n'en est pas plus heureuse. Elle se sent inutile et trouve sa vie bien triste. Un après-midi, une petite fille et sa maman entrent dans la boutique et se dirigent vers Auguste.

– Nous cherchons un objet un peu particulier, dit la dame à l'antiquaire.

Et ils se mettent à parler ensemble. Émilie n'entend pas très bien ce qu'ils disent mais elle voit Auguste qui se gratte la tête, regarde dans sa direction et la montre à la dame. La petite fille bat des mains en disant joyeusement:

– Maman, quelle bonne idée! C'est juste ce qu'il nous faut.

Auguste demande à quoi servira Émilie; il ne veut pas qu'elle subisse de mauvais traitements. La petite fille monte sur une chaise et chuchote son projet à l'oreille d'Auguste. Émilie n'entend pas mais elle voit Auguste qui fait un grand sourire et qui a l'air très content.

Après son travail, le papa vient avec la petite fille pour emporter Émilie.

– Ça! s'exclame-t-il. Tu penses que ça fera l'affaire?

– Mais oui papa. Elle sera très jolie

et les autres l'aimeront beaucoup. Tu verras.

– Bon. Emportons-la à la maison.

Auguste fait la toilette d'Émilie.

– Tu n'as rien à craindre, lui dit-il tout bas. Tu seras très bien, ajoute-t-il avec un air mystérieux.

Émilie n'a même pas le temps de dire au revoir à son ami le tapis: déjà on la hisse dans la remorque. Cette fois, Émilie ne fait pas beaucoup attention au trajet. Elle a bien hâte de savoir quelle sera sa nouvelle vie. Bien sûr, les gens ont l'air gentils, mais tant qu'on ne sait pas vraiment ce qui nous attend, il vaut mieux être sur ses gardes.

Arrivés à la maison, les gens déposent

Émilie dans le jardin. Émilie passe la soirée à s'interroger pour essayer de savoir pourquoi on l'a amenée ici. Rien à faire. Elle n'arrive pas à comprendre.

Le chien vient la flairer pour s'assurer qu'elle n'est pas une ennemie.

– Si seulement il pouvait me dire ce que je fais ici, soupire Émilie.

Avant de se coucher, la maisonnée vient au jardin pour revoir la baignoire.

– C'est une très bonne idée que vous avez eue, dit le papa. Demain matin, j'achèterai ce qu'il faut et tout sera terminé dans l'après-midi.

– Est-ce qu'il y en aura beaucoup, papa?

– Ça dépend, répond celui-ci. Nous verrons une fois que tout sera rassemblé.

– Bonne nuit, Madame la Baignoire, dit la petite fille.

Cette fois, la curiosité d'Émilie est à vif. "Est-ce qu'il y en aura beaucoup? " a demandé la petite fille. Qu'est-ce que ça veut dire? Beaucoup de quoi? De baignoires? Ça prendrait bien trop de place, se dit Émilie. Ça ne peut pas être ça. Beaucoup de quoi, alors?

Émilie cherche, cherche encore. Elle cherche tellement qu'elle en a mal à la tête.

– Tant pis, se dit-elle finalement. Attendons demain. De toute façon je suis en sécurité ici. Auguste l'antiquaire l'a dit.

Quand elle est énervée, Émilie rêve la nuit. Cette nuit-là, elle rêve que le jardin est rempli de baignoires qui marchent trois par trois, qui font des rondes et qui dansent. Le chef d'orchestre est le chien du jardin, debout dans la remorque et les gens de la maison distribuent des gâteaux à toutes les baignoires.

Quand on est vieux, on ne dort pas longtemps. Dès que le soleil se lève, Émilie se réveille. Il fait très beau et Émilie sent qu'aujourd'hui, ce sera une bonne journée.

La petite fille vient en sautillant dire bonjour à la baignoire. Elle la mesure de partout, inscrit des chiffres sur une feuille et retourne voir sa maman. Celle-ci vient vérifier les robinets, les mesure avec soin. Le papa apporte des bouts de tuyauterie pour rebrancher la baignoire.

Émilie n'ose pas croire que c'est vrai.

– Je vais redevenir une vraie baignoire, pense-t-elle. Remplie d'eau tiède à nouveau, je pourrai rendre les gens bien propres et être utile.

Et pourtant, Émilie n'est pas certaine; il y a encore bien du mystère autour d'elle.

Dans l'après-midi, la baignoire est transportée dans la maison, dans une pièce étrange. Des aquariums avec des poissons de toutes les couleurs, des cages d'oiseaux où les serins chantent à tue-tête et partout, des plantes vertes et des fleurs.

– Qu'est-ce que je fais ici? s'écrie Émilie. Moi! Une baignoire!

On installe Émilie au beau milieu de la pièce. On branche ses tuyaux.

– Ouvrez le robinet, demande le papa.

– Glou! Glou! font les tuyaux qui se remplissent.

Émilie est folle de joie: elle se sent revivre, redevenir elle-même.

– Ça suffit. Fermez.

Le papa est content. Tout fonctionne bien. Tout le monde sort de la pièce et chacun revient avec des sacs remplis de terre qu'ils versent l'un après l'autre dans la baignoire.

– Quoi? Qu'est-ce que c'est?

Émilie ne sait plus si elle doit être contente ou non. Elle ne comprend plus rien.

Et tout à coup, la maman et la petite fille apportent de belles fleurs rouges, jaunes, blanches, violettes. Et tout le monde transforme Émilie la baignoire en un joli petit jardin.

– Comme ça, dit le papa, nous aurons un jardin fleuri, même l'hiver.

La petite fille, les mains pleines de terre, aide sa maman à disposer les fleurs pour que ce soit joli.

ÉPILOGUE

Qui aurait dit qu'Émilie en arriverait là, après une vie de baignoire bien ordinaire? Maintenant qu'elle est revenue de sa surprise et qu'elle s'est habituée, Émilie est bien contente. Au milieu de ses nouveaux amis, la baignoire-jardinet entrevoit des jours heureux et paisibles.

Et pourtant . . .

Et pourtant, Émilie n'est pas tout à fait contente. Bien sûr, elle est dans une bonne maison où les gens en prennent soin et l'apprécient et la baignoire est assurée de ne plus courir de danger.

Elle a de bons amis aussi: les poissons la saluent dans leurs promenades, les fleurs lui font des sourires avec leurs pétales tout frais. Et même si Émilie s'ennuie un peu de Pipette la souris, elle aime beaucoup ses nouveaux compagnons.

Et en plus, Émilie est utile. Remplie de terre, elle aide les fleurs à bien pousser; quand la terre devient sèche, la petite fille ouvre le robinet et donne de l'eau aux fleurs. Émilie sait bien que c'est à cause de son aide que les fleurs deviennent si belles. Mais . . .

Mais un jour, elle a voulu épater ses amis en leur montrant qu'elle pouvait marcher et . . . rien . . . pas un geste, ni un pas! Émilie est redevenue une baignoire comme toutes les autres. Immobile! Émilie est déçue. Au fond, elle aimait bien avoir un privilège. Elle bougonne un peu. Pas beaucoup. Mais un peu. On s'habitue vite à être gâtée.

La fée des baignoires fait une courte visite à Émilie.

– Pourquoi donc voudrais-tu marcher? lui dit-elle. As-tu besoin de te cacher, de te sauver, de te rechercher une nouvelle maison?

– Non, répond Émilie.

– Nous t'avons donné ce don parce que tu en avais besoin et que tu as été courageuse. Chaque fois que tu auras besoin d'aide et que tu auras du courage, sois sans crainte, nous t'aiderons. Mais c'était une nouvelle maison que tu cherchais: et ne l'as-tu pas trouvée?

Émilie est un peu honteuse. Elle

regarde les fleurs dans son ventre, les poissons qui nagent paresseusement dans l'aquarium . . .

Émilie cesse de réfléchir avec sa tête: elle écoute son coeur et elle se laisse aller doucement à se sentir bien, dans tout son corps de porcelaine.

Oui, Émilie a retrouvé une maison et elle est encore mieux qu'avant. Et elle se sent bien. À l'âge de la retraite, une nouvelle vie commence pour Émilie la baignoire à pattes.